東大式1日1分

なぞとき 英単語

東大記憶王 青木 健

飛鳥新社

はじめに

▼

本書を手にとってくださりありがとうございます。

私のスクールでは、英単語を覚えるのが苦手という小学生や中学生の子が多くいます。そんな子たちに簡単に・楽しく覚えられる方法はないかと考え、本書をつくりました。

この本だけで小中学校で学習する基礎的な英単語300語ほどを身につけることができます。これは小学校で学習する英単語の約50%にもおよびます。

とくに日常生活に登場する英単語や固有名詞を中心に問題を構成していますので、大人が子どもと一緒に楽しんでもいいですし、学びなおしにも最適です。

またなぞときやダジャレ、英語特有の言い回しなどさまざまなパターンの問題によって頭を使ったり、「おもし

ろい！」と感じたりすることで、自然と記憶に残りやすくなります。

　一度学習した英単語が、忘れたころに別の問題として再登場することもあるので、問題をとけばとくほど自然に復習ができ、英単語が身につくようになっています。

　本書はStep 1、Step 2、Step 3の3つから構成されています。Step 1では脳の準備運動をかねたやさしい問題をまとめています。Step 2では少し考えなくてはいけない問題を、Step 3では大人でもむずかしいと感じる問題を集めています。

　問題をとくごとに頭が活性化される感覚を味わってください。またあらゆる年代の方に、脳トレとしても最適です。ぜひ楽しんでいただけたら幸いです。

本書の使い方

右ページに問題がのっています。

その次のページにヒントがのっています。
とけないときはヒントもチェックしてみましょう!

答えのページは問題ページの右下に書いています。
答えをみるときはほかの問題の答えを
誤ってみないように注意しましょう!

contents

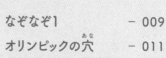

頭をほぐそう

○ ○ ○ ○

Step 1ではひらめく力を軸にやさしい問題を集めました。
まずは頭をほぐす体操だと思ってといてみましょう。

○ ○ ○ ○

むずかしい問題にみえても実は文章にヒントが
隠されていたり、ダジャレであったり、
問題をぐるぐると回してみるとわかるものばかりです。
もしどうしてもとけないときには声に出して読んでみたり、
問題に書き込んでみたりしてください。

○ ○ ○ ○

楽しんでといてみよう！ ⟶

なぞなぞ 1

▼

水の中に入れると泡を出して沈んでしまうものはなんでしょう？

答えは 118 ページ

?

ヒント

▼

泡を出して沈むときは、どんな音がするか考えてみよう！

オリンピックの穴

▼

? に入るアルファベットはなんでしょう?

答えは 118 ページ

?

ヒント

↓

メダルの色に注目してみよう!

アルファベット迷路

▼

A〜Zの順に進んでスタートからゴールを目指そう。
大文字を通ったら小文字、小文字を通ったら大文字になるように進もう。

A スタート	C	e	G	h	T	Q	R	r
b	C	D	F	G	S	p	d	F
E	d	E	F	h	w	q	K	c
f	e	f	g	F	b	K	L	v
K	H	G	F	g	H	J	i	M
j	I	h	J	k	S	t	u	X
K	L	i	P	Q	r	S	U	y
l	M	n	O	P	Q	t	W	x
m	N	O	p	S	R	U	v	Y
N	P	q	Q	T	S	V	X	Z ゴール

答えは118ページ

ヒント

▼

迷ったら、ゴールからも考えてみよう！

足し算英語 1

▼

□ にはどんなアルファベットが入るでしょうか?

答えは 119 ページ

?

ヒント

イラストを英語に直してみよう！

c & le に火をつける

br & y を飲む

s & wich を ?

答えは 119 ページ

?

ヒント

▼

&を英語で書いてみよう。

バラバラ文字

▼

とある商店街にはいろいろなお店 にのれんがかけられています。
さて、下のお店は何屋さんでしょうか?

答えは 119 ページ

ヒント

のれんの順番がぐちゃぐちゃになっているみたい。
並べ替えてみよう!

共通文字
きょうつう も じ

▼

上下左右の言葉からなぞをとき、中央の □ にひらがな3文字を入れて
日本語を完成させよう。

cool

cold ↔ ⬜⬜⬜ ↔ thin

lukewarm

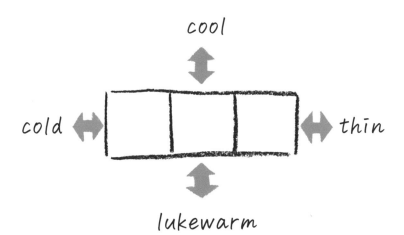

答えは 120 ページ

?

ヒント

▼

すべての英単語を日本語にしよう。
ちなみに lukewarm は「ぬるい」、thin は「薄い」だよ！

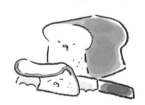

混在言葉
こんざいことば

▼

下の言葉はどんな食べものを示しているでしょうか?
した ことば たべ しめ

Cまたは N

答えは120ページ

?

ヒント

▼

「または」を英語で書いてみよう。

くだもの探し

▼

下のアルファベットにはくだものが隠されています。
となり合う文字から4つのくだものを探してみよう！

b n a p p l e h
h c a e p e h j
k z x q p m s S
w w i n m o y c
q k i w i n l k

答えは 120 ページ

25

？

ヒント

▼

上から下、左から右だけでなく、右から左も探してみよう。

※ななめはないよ

動物なぞなぞ

▼

とある動物園にはたくさんの動物がいます。
さて、下の中から頭がいい動物をすべて選んでみよう！

ゾウ
elephant

キリン
giraffe

タカ
hawk

ワシ
eagle

ヒツジ
sheep

ヤギ
goat

シカ
deer

ウマ
horse

答えは 121 ページ

？

ヒント
▼

「頭がいい」は頭のよさではないよ。

カタカナ英語

▼

下の英単語をみて、意味を書いてみよう！
そのまま読んでカタカナ英語にすると、間違えるから注意しよう。

seal → _____

smart → _____

mansion → _____

tension → _____

答えは 121 ページ

？

ヒント

▼

「seal」は貼^はるシールではないよ。

読み方英語

▼

言葉から連想する数字を考えてみよう!

イヌのなき声

なんらかの分野に
くわしい人

人のものを
すばやく盗むこと

ベトナム料理の一品

答えは 121 ページ

?

ヒント

▼

単語はとある順番に並んでいるよ。

選択英語

▼

下の問題の①と②、それぞれどちらが正しいでしょうか?

口
① mouse
② mouth

ブレーキ
① break
② brake

貝
① clam
② calm

花
① bloom
② broom

デザート
① desert
② dessert

ブラシ
① blush
② brush

答えは 122 ページ

ヒント

▼

ＬとＲで悩んだら、それぞれ１回は使おう。
どうしてもわからないときは声に出して読んでみよう。

分数英語

▼

次の分数はなにを表しているでしょうか？

$$\frac{d}{ut}$$

答えは122ページ

35

?

ヒント

▼

上_{うえ}に乗_のっていることを英語_{えいご}で表_{あらわ}してみよう。

連想英語
（れんそうえいご）

▼

言葉（ことば）とイラストを連想（れんそう）して結（むす）んでみよう！

日・　　　　　・

木・　　　　　・

金・　　　　　・

答（こた）えは122ページ

?

ヒント

▼

漢字は曜日を表しているよ。

漢字英語

▼
次の漢字から英単語を抜き出してみよう！

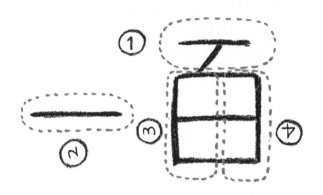

こた
答え ① ② ③ ④

答えは 123 ページ

?

ヒント
▼
①～④の囲<ruby>囲<rt>かこ</rt></ruby>みを正<ruby>正<rt>ただ</rt></ruby>しい向<ruby>向<rt>む</rt></ruby>きからみてみよう。

なぞなぞ 2

▼

<ruby>下<rt>した</rt></ruby>の<ruby>文章<rt>ぶんしょう</rt></ruby>のなぞなぞをといてみよう！

1. ナスを<ruby>治療<rt>ちりょう</rt></ruby>する<ruby>職業<rt>しょくぎょう</rt></ruby>はなんだ？

2. おばあさんばかりが<ruby>集<rt>あつ</rt></ruby>まる<ruby>職業<rt>しょくぎょう</rt></ruby>はなに？

3. いつも<ruby>工具<rt>こうぐ</rt></ruby>を<ruby>使<rt>つか</rt></ruby>っている<ruby>職業<rt>しょくぎょう</rt></ruby>はなんだ？

4. <ruby>書<rt>か</rt></ruby>いても<ruby>書<rt>か</rt></ruby>いても<ruby>燃<rt>も</rt></ruby>やされる<ruby>職業<rt>しょくぎょう</rt></ruby>はなに？

<ruby>答<rt>こた</rt></ruby>えは 123 ページ

？

ヒント

▼

英語を使ったダジャレだよ。

文字探し

▼

この絵にはアルファベットが隠れています。
それを並べ替えるとひとつの単語に！
さて、どんな言葉になるでしょうか？

答えは 123 ページ

?

ヒント

▼

5個のアルファベットが隠れているよ。
絵に関連する言葉を考えてみよう。

英語で遊んで英語力 UP

○ ○ ○ ○

Step2 では Step1 よりも深く考えないととけない
問題を用意しました。

○ ○ ○ ○

英単語がわからないときは辞書を引いたり、
インターネットで検索したりしても OK です。
出てきた英単語は書けるようにしておくと、
英語力がアップします。

○ ○ ○ ○

がんばってチャレンジしてみましょう！ ⟶

記号パズル
きごう

▼

下の記号を読み取り、? に入る絵を考えてみよう!
した きごう よ と はい え かんが

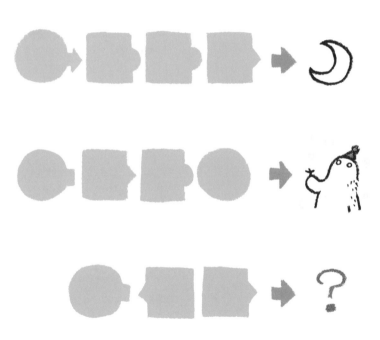

答えは124ページ

？

ヒント

▼

ひとつの記号にひとつのアルファベットを入れてみよう。

反対英語

▼

①②③にアルファベット一文字を入れて、英単語を完成させよう！

酸っぱい（のが特徴） ←→ 甘い（のが特徴）
①②③ on ③②① on

答えは 124 ページ

?

ヒント

▼

くだものを思い浮かべてみよう。

愛の問題

▼

愛があるのは A と B、どっちでしょうか？

A	B
英語（えいご）	数学（すうがく）
はし	スプーン
大学（だいがく）	学校（がっこう）
くだもの	野菜（やさい）

答えは 124 ページ

？

ヒント

▼

「愛がある」を実際にいってみよう。

足し算英語 2
<ruby>足<rt>た</rt></ruby>し<ruby>算<rt>ざん</rt></ruby><ruby>英語<rt>えいご</rt></ruby> 2

▼

①〜⑤にアルファベット一文字を入れるとある単語になります。
さて、どんな言葉になるでしょうか。

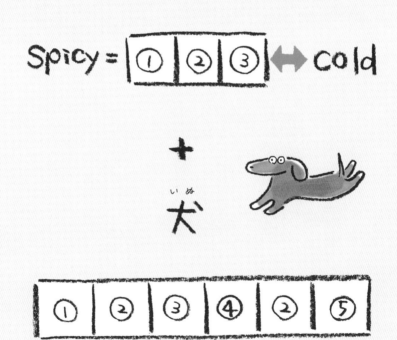

Spicy = | ① | ② | ③ | ↔ cold

＋

犬

| ① | ② | ③ | ④ | ② | ⑤ |

答えは 125 ページ

？

ヒント

▼

「犬」を英語にしてみよう。

しりとり英語1

▼

①〜④にアルファベット一文字を入れて、しりとりしてみよう!

pay → p ① ay → football p ① ay ②③
→ p ③ ay ②③ → x- ③ ay

go → goa ① → go ①④
→ gogg ①② → gorg ② ous

答えは 125 ページ

？

ヒント

▼

知っているところから単語を入れてみよう。

ひらめき英語

▼

ルールを読みといて、？に入る単語を考えてみよう！

NOS ⇒ 息子

NIM ⇒ 勝つ

MONS ⇒ ？

答えは 126 ページ

?

ヒント

▼

いろいろな角度<ruby>か<rt>かくど</rt></ruby>から読んでみよう。

サイクル<ruby>英語<rt>えいご</rt></ruby>

▼

①〜⑤にアルファベット<ruby>一文字<rt>ひともじ</rt></ruby>が<ruby>入<rt>はい</rt></ruby>ります。
イラストをみて<ruby>考<rt>かんが</rt></ruby>えてみよう！

S・M・T・①・T・②・S

R・O・③・R・D・S・H・S・④・C・⑤・B

答えは 126 ページ

?

ヒント

▼

カレンダーをみてみよう。

クロスワード英語

たてとよこのカギを英語で空欄に入れよう。
「あいうえおか」にアルファベット一文字を入れて
最後の答えを導き出そう！
※たてのカギ3は3文字、たてのカギ4は4文字だよ

たてのカギ

1. ネズミ
2. メスのウシ
3. アフリカに生息する角があるウシ科の動物
4. アザラシ
5. コウモリ

よこのカギ

1. サル
5. クマ
6. モグラ
7. ウサギ
8. トラ

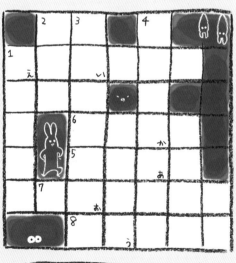

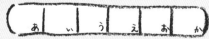

あ	い	う	え	お	か

答えは 127 ページ

? ヒント
▼

たてのカギ3は日本のバンド「King ○○○」という
名前にも入っているよ。

事件英語

ある日あるところに、0～9までの数字がいました。
しかし、食事のあとに9がいなくなってしまいました。
さて、それはなぜでしょうか？

答えは127ページ

?

ヒント
▼
0〜9を順番に英語でいってみよう。

しりとり英語 2

▼

日本語を英語に直してしりとりしてみよう。
？ に入る単語はなんでしょうか？

祭り ⇒ 図書館 ⇒ 庭 ⇒ ？ ⇒ 病院

答えは 127 ページ

？

ヒント

▼

それぞれの言葉を英語で書いてみよう。

穴あき英語

▼

上下左右の言葉をつなぐと単語になるように、
矢印の真ん中にある □ に単語を入れてみよう！

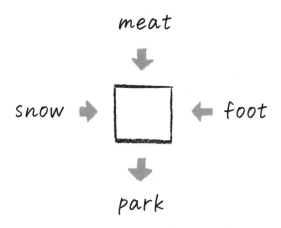

meat

snow ➡ □ ⬅ foot

park

答えは 128 ページ

?

ヒント

▼

誰もが一度は触ったことがあるよ！

乗り物英語

▼

電車、バス、車、船、ジェット機の赤枠に、とある職業の人が
乗っています。さて、それはどんな職業でしょうか?

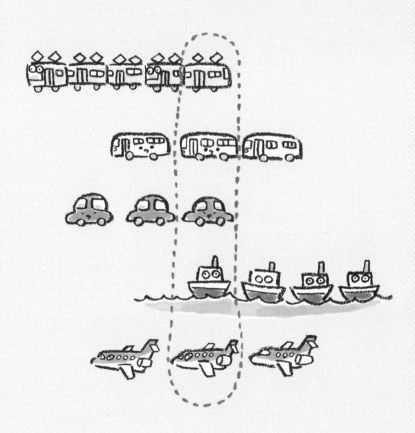

答えは 128 ページ

？

ヒント

▼

イラストの上にそれぞれの乗り物を英語で書いてみよう。

マス目英語

▼
矢印のヒントを参考に、？に入る英単語を考えてみよう！

➡ shoes

➡ firewood

⬇ bear

⬇ ？

答えは128ページ

？

ヒント
▼
マス目に日本語を書いてみよう。

変換英語

へんかんえいご

▼

下の日本語と英語にはあるルールがあります。
さて、？にどんな英単語が入るでしょうか？

輝く	muscat
血	orange
仮面	?

答えは129ページ

?

ヒント

▼

左側(ひだりがわ)の日本語(にほんご)を英語(えいご)に直(なお)してみよう。

難読英語

▼

複数の英単語を読みとき、質問に答えてみよう!

1. 鼻の長い動物は次のどれでしょうか?

CAT DOG MOUSE ELEPHANT

2. ボールを蹴るスポーツは次のどれでしょうか?

HOCKEY SOCCER BASEBALL MARATHON

3. 雨が降るとさすものは次のどれでしょうか?

AGER RAINCOAT UMBRELLA NEEDLE

4. 東京にある観光名所は次のどれでしょうか?

SKYTREE DISNEYLAND UNIVERSAL
STUDIO JAPAN ABENO HARUKAS

答えは129ページ

?

ヒント

▼

ひらがなやカタカナにみえるけど、アルファベットだよ。

ジグソーパズル英語

バラバラのジグソーパズルを並べ替えて、3つの言葉を導き出そう！

答えは 129 ページ

？

ヒント

▼

とある動物が隠れているよ。

目指せ英語マスター！

○ ○ ○○ ○

Step 3は大人でもなかなかとけない問題を
たくさん用意しました。

○ ○ ○○ ○

ヒントをみたり、調べたりしてもわからなければ、
友達や家族と一緒にといてもかまいません。
いろいろな人に相談してみよう。
また1回やってできない問題は何回かくり返しとくと、
いつの間にかスルスルとけるようになるでしょう。

○ ○ ○○ ○

何度もチャレンジしてみよう。
そして次はきみが問題をつくってみよう！　　　　→

割り算英語

▼

下のイラストを読みといて、
□に入るアルファベット一文字を考えてみよう!

答えは 130 ページ

81

?

ヒント

▼

お笑いで同じネタをくり返して笑いを取ることを
「てんどん」といいます。

英文なぞなぞ

▼

次の文章を読んで、なぞをといてみよう!

Watch it !

twelve → eight → two → ten → four → twelve

What did they watch ?

答えは 130 ページ

ヒント

▼

「Watch」には2つの意味が隠されているよ！

国名クイズ
<ruby>国名<rt>こくめい</rt></ruby>クイズ

▼

イコールの<ruby>前後<rt>ぜんご</rt></ruby>を<ruby>読<rt>よ</rt></ruby>みといて、？ に<ruby>入<rt>はい</rt></ruby>る<ruby>国名<rt>こくめい</rt></ruby>を<ruby>答<rt>こた</rt></ruby>えてみよう！

GWR ＝ イタリア

B
Y ＝ ウクライナ

BWR ＝ ？

答えは 130 ページ

？

ヒント

▼

国旗を思い出してみよう。

引き算英語

イラストに当てはまる英単語から引き算をして
? に入る言葉を考えてみよう!

答えは 131 ページ

?

ヒント

▼

引いているのは数字の1じゃなくて、小文字の l（エル）だよ。

掛け算英語

▼

下の掛け算にはとあるルールが隠されています。
さて、? にはなにが入るでしょうか?

$$S \times 60 = M$$

$$M \times 60 = H$$

$$H \times 24 = D$$

$$D \times 365 = ?$$

答えは 131 ページ

？

ヒント

▼

時計やカレンダーをみてみよう。

すうじ数字化<ruby>英語<rt>かえいご</rt></ruby>

▼

apple や mango を<ruby>参考<rt>さんこう</rt></ruby>に、grape も 5 つの<ruby>数字<rt>すうじ</rt></ruby>で<ruby>表<rt>あらわ</rt></ruby>してみよう!

apple → 1 16 16 12 5

mango → 13 1 14 7 15

grape → | | | | | |

答えは 131 ページ

?

ヒント

▼

アルファベットの順番を思い出してみよう。

展開英語

▼

下の立方体を展開すると、ある英単語が出てきます。
さて、それはなんでしょうか？　※これがとけたら「天才」です！

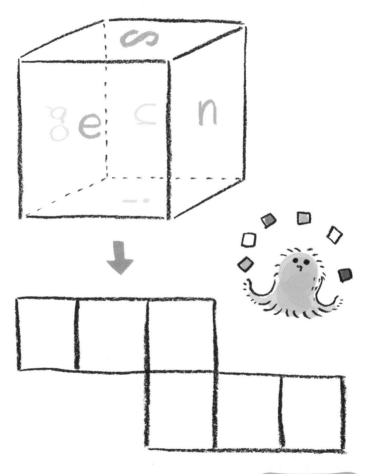

答えは 132 ページ

93

？

ヒント

▼

「天才」ってなんだろう？

ひっ算英語

下のひっ算をといて、新たな国名を答えてみよう！

$$C \ A \ N \ A \ D \ A$$
$$+) \ 17 \ 20 \ 4 \ 10 \ 1 \ 24$$

答えは 132 ページ

ヒント

▼

下のアルファベット表をみてみよう。

A	B	C	D	E	F
G	H	I	J	K	L
M	N	O	P	Q	R
S	T	U	V	W	X
Y	Z				

なぞとき英語

▼

矢印の前後のイラストを読みといて、？ に入るイラストを
A～Dの中から選んでみよう！

答えは 132 ページ

?

ヒント

▼

イラストを英語で書いてみると共通点がわかるよ！

法則英語

ほうそくえいご

▼

下の言葉はとある法則で並んでいます。
さて、？ になにが入るでしょうか？

$$\overset{1}{コウモリ} \rightarrow \overset{3}{\underset{ねこ}{猫}} \rightarrow \overset{2}{\underset{しぼう}{脂肪}} \rightarrow ?$$

答えは133ページ

99

？

ヒント

▼

それぞれの単語を英語に直して、頭文字に注目してみよう。

しりとり英語 3

▼

下のイラストを英単語に直し、しりとりをすると、ひとつだけ
使わないイラストがあります。それはどれでしょうか?

答えは 133 ページ

？

ヒント

▼

木琴は「xylophone」、ドアノブは「knob」と書きます。

国名直し

<ruby>国名直し<rt>こくめいなお</rt></ruby>

下の国名には、スペルが間違っているものが複数あります。
正しく直したアルファベットを並べ替えると、ある言葉が出てきます。
それはなんでしょうか?

DENMARK

CUBA

FRANCE

JAPAN

KENYA

AIGERIA

INDIA

THAILAND

UKRAINE

OMAN

NEW ZEALANT

BLAZIL

GERMANY

SMEDEN

EGYPT

CHILE

答えは133ページ

？

ヒント

▼

間違いは全部で5つあるよ！

穴埋め英語

▼

ある法則を読み取り、□ に入る英単語を答えてみよう！

one plus eight minus four equals □

two multiplied by □ minus seven equals five

twelve divided by two plus one equals □

thirty five □ five □ three equals ten

答えは 134 ページ

?

ヒント

▼

算数の四則演算が関係しているよ。

thirty
five ☐ five

トランプなぞとき

▼

トランプのマークと数字から ? に入る乗り物を考えてみよう!

答えは 134 ページ

ヒント

↓

トランプの柄を英語で書いてみよう。

スラング英語

▼

左側の言葉は英語圏で実際に使用されているスラング
（仲間の間だけに通じる用語）です。
言葉に当てはまる意味を線で結んでみよう！

303・　　　　　・お誕生日おめでとう

182・　　　　　・よかったね

2moro・　　　　　・大嫌い

HB2U・　　　　　・明日

404・　　　　　・お母さん

G4U・　　　　　・バカ

答えは135ページ

？

ヒント

▼

404 はホームページにアクセスできないときに
表示される言葉だよ。
大嫌いは「I hate you」、よかったねは「Good for you」だよ。

最終なぞなぞ

3つのなぞをといて、言葉をつくろう!

CD のうしろは
なんでしょうか?

北は一文字だと
どのように表すでしょう?

車を発進させるとき、
どこに合わせるでしょうか?

答えは 135 ページ

?

ヒント

▼

車を発進させるときは「ドライブ」に合わせます。

Congratulations !

You did it !

すべてクリア

1

ここまでがんばって問題をといたきみはすごい！
これできみは英語マスター！

おわりに
▼

　50個のなぞときはいかがでしたでしょうか。楽しかったと感じていただければ大変うれしく存じます。

　むずかしい問題も多く、頭をフル回転させないととけない問題も多かったと思います。

　今回は基礎的な英単語を使って問題を作成しました。英単語がわかるようになるプロセスは、「①英単語を読める」「②英単語を読んで意味がわかる」「③英単語を書けるようになる」です。

　読めても意味がわからない英単語や書けない英単語をなくすと大幅にレベルアップすることができます。

　本書をつくる上で実際に中学生にも問題に挑戦してもらいました。すると英単語を使ってなぞをとくということをきっかけに英語に興味をもち、学校のテストは

高得点を取れるようになったそうです。

　読者のみなさんも英単語を覚えることが苦手でも、なぞときを楽しみながら英語力をきたえてもらえれば幸いです。

　もしすべての問題をやり切ることができたら、今度は出題者になって、お気に入りの問題を友達や家族に出してみましょう。
自分が問題をとくだけでなく、人に問題を出題することでも英語力が大きく伸びることでしょう。

　英語ができるようになった自分を想像して、何度も楽しみながらトライしてみましょう！

青木　健

解答

● なぞなぞ1　(P.009)

答え

本

泡を出して沈むときにブックブック（book book）と音がなるため、本が正解です。

● オリンピックの穴　(P.011)

答え

G

左のSは銀メダルを表す「Silver」、右のBは銅メダルを表す「Bronze」。そのため、金メダルを表す「Gold」のGが入ります。

● アルファベット迷路　(P.013)　答え

大文字と小文字をくり返しながら、A〜Zまでたどる2つの作業を同時にやるのは、意外とむずかしい！

● 足し算英語1　(P.015)

答え

M（m）

□を足して、食べるとお肉になる。これを英語にすると、□＋eat＝meat です。□にはM（m）が入ります。
答えは大文字でも小文字でもOK。「お肉食べようのうた」をきいて思いついた問題です！

● 省略なぞとき　(P.017)

答え

食べる

&＝and に気づけたらとける問題です！　s & wich は&を省略せずに and と書くと、「sandwich」になります。すると、？に入る言葉は食べるになるわけです。
テストでは and を省略しないで書こう！

● バラバラ文字　(P.019)

答え

カレー屋と銀行

上のお店はcurry（カレー）、下のお店は bank（銀行）ののれんがかけられていました。
下北沢を歩いていて、のれんが間違っているうなぎ屋さんをみて思いついた問題！

解答

● 共通文字 (P.021)

答え

あつい

cool や cold、lukewarm の対義語は hot です。薄いを意味する thin の対義語は thick（あつい）になります。つまり、「あつい」が正解です！ 日本語の同音異義語を使った問題でした。

● 混在言葉 (P.023)

答え

とうもろこし （コーン）

C または N の「または」を英語で書くと「or」になります。なので答えは「corn」です。
子どものころはコーンポタージュのスナック菓子をよく食べていました。

● くだもの探し (P.025)

答え

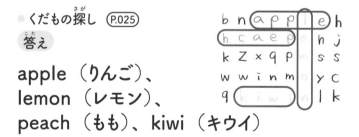

apple （りんご）、
lemon （レモン）、
peach （もも）、kiwi （キウイ）

英語を右から読むことはほとんどないので、peach がみつけづらかったかもしれません！

◉ 動物なぞなぞ （P.027）

答え

ゾウ（elephant）、
ワシ（eagle）

elephant と eagle はどちらも頭（頭文字）が e（イー）です。
「頭がよい」という意味ではないことに注意しよう！

◉ カタカナ英語 （P.029）

答え

seal：アザラシ（または封をする）
smart：賢い／ mansion：大豪邸
tension：緊張

日本語と英語で意味が違うものはたくさんあります。ほかにもなにかないか探してみよう。

◉ 読み方英語 （P.031）

答え イヌのなき声：one
なんらかの分野にくわしい人：two
人のものをすばやく盗むこと：three
ベトナム料理の一品：four

ワン（犬のなき声）、ツー（通）、スリー（スリ）、フォー（ベトナム料理）が正解です。ダジャレ問題でした。

選択英語 (P.033) 答え

口：② mouth ／花：① bloom
ブラシ：② brush ／ブレーキ：② brake
貝：① clam ／デザート：② dessert

スペルミスが多い問題を集めました。知っている単語でもずっとみていると、ゲシュタルト崩壊（まとまっていたものがバラバラに感じてしまうこと）が起きてよくわからなくなってくる問題です。深く考えず直感的にといたほうが正解しやすいかも？

分数英語 (P.035)

答え

donut

ut に d が「on」しているので、答えは
donut（ドーナツ）です。

連想英語 (P.037) 答え

日・木・金を曜日にすると、サンデー・サーズデー・フライデーになります。言葉が絡んだイラストと組み合わさっていました。
「日曜日に食べるデザートはサンデー」「木曜日に雨が降って傘をサーズデー」「金曜日のおかずはフライデー」という寒いおやじギャグにも使えます！

日 ——————— フライ

木 ——————— 傘をさす（サーズ）

金 ——————— サンデー

漢字英語 (P.039)

答え

TIME

数字の方向から読むとわかる問題でした！

なぞなぞ2 (P.041) 答え

1：看護師（ナース）
2：理容師（バーバー）
3：運転手（ドライバー）
4：ライター（文筆家）

ダジャレ問題でした。

文字探し (P.043)

答え

sheep（ヒツジ）

この問題のように実は野口英世が書いてある1000円札にも「ニ・ホ・ン」の3文字が隠れています！

解答

記号パズル (P.047)

答え

sun

「n」を反対にしたら「u」になります。アルファベットには、文字の向きを変えたら別の文字になるものがいくつかあるので、チェックしてみよう。

m o o n → 🌙
s n o w → ☃
s u n → ？

反対英語 (P.049)

答え

lemon と melon

ヒントを参考にくだものをひとつ入れると、正解に近づく問題です。スペルは似ているけれど、味は反対の言葉でした。

愛の問題 (P.051)

答え

A

愛は love ではなく、「i（アイ）」という意味でした。つまり、i が入っているものを選べば正解です。
英語は english、はしは chopsticks、大学は university、くだものは fruit。イラストにまどわされないで！

答え

hotdog

hotdog の「dog」は犬ではなくソーセージを意味します！

● しりとり英語 1　(P.055)

答え

① l　② e　③ r　④ d

pay（支払う）→ play（遊ぶ）→
football player（サッカー選手）→
prayer（祈る人）→ x-ray（レントゲン）

go（行く）→ goal（ゴール）→
gold（金）→ goggle（ゴーグル）→
gorgeous（華やか）

レントゲンはレントゲン撮影に使われる X 線を発見したドイツ人
のレントゲン博士から取ったものです。

● ひらめき英語　(P.057)

答え

雪

本を逆向きにみると、それぞれを表す英単語になります！

● サイクル英語　(P.059)

答え

①W　②F　③T　④M　⑤D

①と②の問題は日曜日〜土曜日までの曜日を表す英語の頭文字になっています。S は Sunday（日曜日）、M は Monday（月曜日）、T は Tuesday（火曜日）、W は Wednesday（水曜日）、T は Thursday（木曜日）、F は Friday（金曜日）、S は Saturday（土曜日）。

③〜⑤は十二支を表す英単語の頭文字になっています。
子 は Rat、丑 は Ox、寅 は Tiger、卯 は Rabbit、辰 は Dragon、巳 は Snake、午 は Horse、未 は Sheep、申 は Monkey、酉 は Chicken、戌 は Dog、亥 は Boar。

● クロスワード英語 (P.061)

答え

animal

	c	g		s	
m	o	n	k	e	y
o	w	u		a	
u		m	o	l	e
s		b	e	a	r
e	r	a	b	b	i	t
			t	i	g	e	r

(a)(n)(i)(m)(a)(l)

● 事件英語 (P.063)

答え

7 が 9 を食べてしまったから

0〜9までの数字を英語で読み上げてみましょう。すると、8（エイト）は eat の過去形「ate」と同じ発音に気づきます。つまり、「7 ate（8）9」になります。

● しりとり英語 2 (P.065) 答え dish

※ dash、danish、death など「d」からはじまって「h」で終わる英単語であればなんでも OK

festival（祭り） ⇒ library（図書館） ⇒ yard（庭）⇒? ⇒ hospital（病院）というしりとりでした。庭を garden にすると前後の言葉がつながらないので、注意しよう！

解答

穴あき英語 (P.067)

答え

ball

ball をそれぞれにくっつけると、「meatball（ミートボール）」「football（サッカー）」「ball park（野球場）」「snow ball（雪玉）」になります。

乗り物英語 (P.069)

答え

nurse（看護師）

上から順に train の「n」、bus の「u」、car の「r」、ship の「s」、jet の「e」が線で囲まれているので、「nurse」が正解！

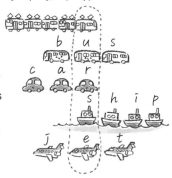

マス目英語 (P.071)

答え

moon

shoes は くつ、firewood はまき、bear はくま。くつの「つ」とまきの「き」で月（moon）が正解！

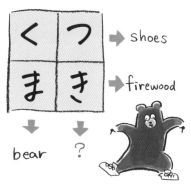

変換英語 (P.073)

答え melon

日本語を英語に直し、よこの英単語と組み合わせるとくだものになるというルールでした！ 輝く（shine）と muscat で「シャインマスカット」、血（blood）と orange で「ブラッドオレンジ」、仮面（mask）と melon で「マスクメロン」です。
実はマスクメロンはムスク（香水の原料に使われるもの）のように、いい匂いがするため、その名前になったそう！ ※マスクメロンは mask melom ではなく、musk melon が正しいスペルです

難読英語 (P.075)

答え

1. elephant　　2. soccer
3. umbrella　　4. skytree

わかる文字からスペルに直していくと、ときやすいでしょう。

ジグソーパズル英語 (P.077)

答え

rabbit、horse、lion

角をみつけるとわかりやすいかもしれません！
もっともむずかしいジグソーパズルは真っ白で模様がないミルクパズル。

解答

割り算英語 (P.081)

答え

R

お笑いで同じネタを2回やって笑いを取ることを「てんどん」といいます。てんどんは下にごはん（rice）があり、上にてんぷらが乗っているので、アイス（ice）にRをつけてごはんにしましょう。

英文なぞなぞ (P.083)

答え

星 （star）

時計をみて、数字の順番どおり一筆で書くと星になります！

国名クイズ (P.085)

答え

フランス

GWR＝イタリアは「green（緑）・white（白）・red（赤）」というイタリアの国旗の色を表していました。BWRは「blue（青）・white（白）・red（赤）」なので、この3色を使ったたてじまの国旗はフランスになります。

● 引き算英語 (P.087)

答え fight

この問題は1（いち）を引くのではなく、小文字のl（エル）を引くのがポイントでした。
play（遊ぶ）から l を引くと「pay（払う）」、bowl（鉢）から l を引くと「bow（弓）」、flight（飛行）から l を引くと「fight（戦う）」になります。

● 掛け算英語 (P.089)

答え

Y

これは時間と日付を表す問題でした。
S は second（秒）、M は minute（分）、H は hour（時間）、D は day（日）、Y は year（年）です。

● 数字化英語 (P.091)

答え

7・18・1・16・5

アルファベットとその順番を数字で表している問題でした。

1	2	3	4	5	6	7
A	B	C	D	E	F	G
8	9	10	11	12	13	14
H	I	J	K	L	M	N
15	16	17	18	19	20	21
O	P	Q	R	S	T	U
22	23	24	25	26		
V	W	X	Y	Z		

解答

● 展開英語 (P.093)

答え

genius

genius は「天才」という意味です。実は問題ページにもヒントが隠されていました！

● ひっ算英語 (P.095)

答え

TURKEY （トルコ）

アルファベットを足す数字の分だけスライドさせると、答えが出てきます。96 ページの表を参考にしてみましょう。

● なぞとき英語 (P.097)

答え A

椅子（chair）から空気（air）、不正をする（cheat）から食べる（eat）。ここからわかるのは「ch」が抜けているということです。グラフ（chart）から ch を抜くと「art」になります。つまり、A が正しいです。

ちなみにそのほかの選択肢は「B. チーター（cheetah）」「C. 救急車（ambulance）」「D. おにぎり（rice ball）」でした。

● 法則英語 （P.099）

答え 帽子

これは矢印の上の数字の分だけ、頭文字のアルファベットが変化する問題でした。コウモリ（bat）の b をひとつずらすと c。つまり、猫（cat）。同様に c を3つずらすと f になり、脂肪（fat）。f を2つずらすと h になります。帽子（hat）が答えになります。うしろ2文字（at）は変えないのがポイントです！

● しりとり英語 3 （P.101）

答え

school

しりとりをしてみると「taxi（タクシー）→ ink（インク）→ knob（ノブ）→ box（箱）→ xylophone（木琴）」になります。
つまり、最後に残った使わない言葉は school（学校）でした！

● 国名直し （P.103）　**答え** WORLD（世界）

間違っていた国名は「SMEDEN（SWEDEN）」「ØMAN（OMAN）」「BLAZIL（BRAZIL）」「AIGERIA（ALGERIA）」「NEW ZEALANT（NEW ZEALAND）」の5つでした。かっこ内が正しい国名です。
間違っていたスペルを正しくすると「W・O・R・L・D」になります。OMAN の O（オー）が 0（ゼロ）になっていることに気づけるかがポイントでした！

133

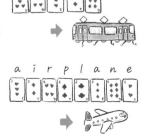

解答
（かいとう）

穴埋め英語（あなう えいご）(P.105) 答え（こた）

five・six・seven・divided by・plus

1行目（ぎょうめ）は
「1（one）＋（plus）8（eight）－（minus）4（four）＝（equals）?」。

one plus eight minus four equals |five|

2行目（ぎょうめ）は
「2（two）×（multiplied by）?－（minus）7（seven）＝（equals）5（five）」。

two multiplied by |six| minus seven equals five

3行目（ぎょうめ）は
「12（twelve）÷（divided by）2（two）＋（plus）1（one）＝（equals）?」。

twelve divided by two plus one equals |seven|

4行目（ぎょうめ）は
「35（thirty five）? 5（five）? 3（three）＝（equals）10（ten）」でした。

thirty five |divided by| five |plus| three equals ten

四則演算を英語で表現するのは、かなりむずかしい！
（しそくえんざん えいご ひょうげん）

トランプなぞとき (P.107)
答え（こた）

airplane

トランプのマークを英語で書くと（えいご か）
「heart（♡）」「diamond（◇）」「spade
（♠）」「clover（♣）」になる。トラン
プに書かれている数字はアルファベッ（か すうじ）
トの文字の順番を表していました！（もじ じゅんばん あらわ）
たとえば♡4ならば、heartの4文字（もじ）
目rになります。（め）

134

● スラング英語 （P.109）答え

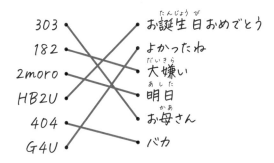

303 ・　　　　・お誕生日おめでとう

182 ・　　　　・よかったね

2moro ・　　　　・大嫌い

HB2U ・　　　　・明日

404 ・　　　　・お母さん

G4U ・　　　　・バカ

303 は 3 をよこにたおすと m のようにみえるため、「mom（お母さん）」。182 は数字の1が I と似ていること、また 8 と 2（eight、two）が「hate you（嫌い）」に音が似ていることから「I hate you」。2moro は「two moro」と読み、「tomorrow（明日）」と発音が似ているため、明日です。HB2U は略語で「happy birthday to you（お誕生日おめでとう）」を意味します。404 はホームページへアクセスできないときに表示される言葉で、バカや無知であることを意味しています。G4U は HB2U と同様に略語で「good for you（よかったね）」です。
メッセージのやりとりで使えたら、かなり cool！

● 最終なぞなぞ （P.111）

答え

END

質問をむずかしくとらえるととけなくなる問題でした！
最終問題なので答えが END になることに気づけたら完璧。

135

● 著者プロフィール

青木 健（あおき・たける）

株式会社メモアカ代表取締役CEO／日本メモリースポーツ協会会長
東京大学大学院総合文化研究科広域科学専攻修了。記憶力日本チャンピオン、世界記憶
力グランドマスター。東京大学では英単語を効率的に記憶する方法に関する研究を行って
いた。福音館書店を経て、現在は「記憶」に関する様々なサービスを提供するスタートアッ
プ企業を経営している。

● スペシャルサンクス

トランプ記憶日本チャンピオン
土屋一輝（つちや・かずき）

東大式 1日1分
なぞとき英単語

2024年 3月25日 第1刷発行

著　　　者	青木 健	
発　行　者	矢島和郎	
発　行　所	株式会社 飛鳥新社	

〒101-0003 東京都千代田区一ツ橋2-4-3　光文恒産ビル
電話（営業）03-3263-7770（編集）03-3263-7773
https://www.asukashinsha.co.jp

ブックデザイン	別府 拓（Q.design）
イ ラ ス ト	さかがわ成美
校　　　正	矢島規男
印 刷・製 本	中央精版印刷株式会社

ISBN978-4-86801-006-7
©Takeru Aoki 2024, Printed in Japan

編集担当　松本みなみ